Fuenteovejuna

Lope de Vega

Juan Ignacio Luca de Tena, 15 - 28027 Madrid

Adaptación del texto: Celia Ruiz Ibáñez

Depósito legal: M-32914-2003
ISBN: 84-667-1689-0
Printed in Spain
Imprime: Lavel, S. A. Gran Canaria, 12. Polígono Los Llanos
28970 Humanes (Madrid)

Equipo editorial
Coordinación y edición: Milagros Bodas, Sonia de Pedro
Equipo técnico: Javier Cuéllar, Laura Llarena
Ilustración: José Luis García Morán
Cubiertas: Taller Universo: M. Á. Pacheco, J. Serrano

Fotografía de cubierta:
© COVER / Carrusan
Representación de *Fuenteovejuna*

Índice

Presentación

El objetivo de esta colección es que los estudiantes de español puedan acceder a los clásicos de la literatura española a través de una versión adaptada a los distintos niveles de aprendizaje: Inicial, Medio, Avanzado y Superior.

Estructura de la Colección

El autor y su obra: breve reseña para mostrar al estudiante el contexto cultural en que se escribió la obra.

Corpus de la obra adaptada:

- Se han respetado el estilo del autor y el argumento de la obra.
- Se ha tenido en cuenta el nivel al que va destinada en cuanto al léxico y estructuras sintácticas.
- Se ofrecen referencias culturales y léxicas en notas marginales.

Actividades de comprensión lectora, de léxico y de gramática.

Soluciones a las actividades.

Glosario con una selección de términos traducidos.

Algunos títulos se presentan con casete.

Se ofrece una guía de explotación didáctica de la lectura.

Criterios de adaptación de esta obra

- Se han variado las estrofas de Lope de Vega con el fin de simplificar algunas estructuras sintácticas y de actualizar el léxico.
- Se ha respetado la doble acción de esta comedia para facilitar la comprensión del contexto histórico de la obra.

El autor y su obra

Félix Lope de Vega nació en Madrid en 1562. Hijo de un bordador, recibió una esmerada educación: fue alumno del escritor Vicente Espinel; estudió más tarde con los jesuitas y se cree que realizó estudios en la universidad de Alcalá de Henares.

Como autor literario cultivó todos los géneros de su época con gran éxito y abundancia: novelas, poesía, poemas épicos y teatro. Para tener una idea clara de lo prolífica que fue su obra literaria, se pueden recordar estas cifras: es autor de más de 3.000 sonetos y de unas 470 comedias.

Su vida amorosa fue tan intensa como la literaria. Fue una especie de donjuán que amó apasionadamente a una larga lista de mujeres. De algunas de ellas –Elena Osorio, Isabel Urbina, Micaela Luján, Juana de Guardo o Marta de Nevares– dejó constancia en su obra literaria.

Su fama y reconocimiento universal se lo debe al teatro. Creador del teatro nacional español, su revolucionaria fórmula teatral revitalizó la escena española. Sus comedias rompen con las unidades grecolatinas de acción, tiempo y lugar; mezclan lo trágico con lo cómico –introduce la figura del gracioso–, y ofrece unos asuntos patrióticos y amorosos muy aplaudidos por los espectadores de la época. Era tal la admiración que sentía el pueblo por este autor que, tras su muerte, el 27 de agosto de 1635, los funerales duraron nueve días y a su entierro asistió todo Madrid.

De todas sus comedias, *Fuenteovejuna* es la más conocida. En ella plantea, con gran acierto, el tema de la venganza colectiva de todo un pueblo contra su agresor. El suceso, basado en un hecho histórico, es transformado por Lope en un drama que rebosa fuerza, belleza y dinamismo.

Contexto histórico

La vida de Lope de Vega transcurre entre los reinados de Felipe II, Felipe III y Felipe IV. En este breve espacio de tiempo, España pasa del esplendor imperial a la decadencia política, social y económica. A partir de la muerte de Felipe II la decadencia se manifiesta con la devaluación de la moneda, la suspensión de pagos por parte del Estado en 1627 y el consecuente empobrecimiento de la población rural y urbana.

El contraste más llamativo entre la realidad y la literatura tal vez se produce en esta época. Mientras que las obras teatrales de Lope cantan y elogian a un estado teocrático, presidido por la Inquisición, este estado conduce a sus gentes al miedo, la pobreza y la incultura. Y para olvidarse de sus males, las gentes acudían al teatro, donde se les ofrecía una visión patriótica y falsa de la realidad.

Galería de personajes

(En orden de intervención)

FERNÁN GÓMEZ DE GUZMÁN: Comendador Mayor de la orden de Calatrava.

FLORES: criado del Comendador.

ORTUÑO: criado del Comendador.

EL MAESTRE DE CALATRAVA: Rodrigo Téllez Girón.

PASCUALA: labradora.

LAURENCIA: labradora.

FRONDOSO: labrador.

MENGO: labrador.

BARRILDO: labrador.

MÚSICOS

ESTEBAN: alcalde, padre de Laurencia.

ALONSO: alcalde.

REINA DOÑA ISABEL

REY DON FERNANDO

MANRIQUE

DOS REGIDORES de Ciudad Real.

REGIDOR de Fuenteovejuna.

CIMBRANOS: soldado.

JACINTA: labradora.

JUAN ROJO: tío de Laurencia.

UN SOLDADO

JUEZ

UN MUCHACHO

Acto Primero

[Sala del palacio del Maestre[1] de Calatrava.]

(Salen el Comendador[2], y Flores y Ortuño, criados.)

COMENDADOR: ¿Sabe el Maestre que estoy
en la villa de Almagro[3]?

FLORES: Ya lo sabe.

COMENDADOR: ¿Y sabe también que soy
Fernán Gómez de Guzmán?

FLORES: Probablemente lo ignore.
Es muy joven, no te asombre.

COMENDADOR: Aunque no sepa mi nombre,
sabe que soy el Comendador.

ORTUÑO: Sí. Tal vez alguien le aconseje
que no es útil ser cortés.

[1] *Maestre:* cargo superior de una orden militar.

[2] *Comendador:* caballero de una orden militar que tenía bajo su protección una población de la que recibía sus rentas.

[3] *Almagro:* pueblo de Ciudad Real. Hoy en día, famoso por su festival de teatro.

COMENDADOR: Pues conquistará poco amor.
La cortesía es la llave
para abrir la amistad;
la imprudente descortesía
crea la enemistad.

FLORES: Como es joven, no ha llegado
a saber qué es ser amado.

COMENDADOR: La obligación de la espada
que ciñó el mismo día
que la cruz de Calatrava
es aprender cortesía.

FLORES: Si te hablaron mal de él,
pronto le conocerás.

ORTUÑO: Pero si no le quieres ver,
ahora te puedes marchar.

COMENDADOR: Prefiero saber cómo es.

(Sale el Maestre de Calatrava.)

MAESTRE: Fernán Gómez de Guzmán,
perdonadme, por mi vida,
pues me acabo de enterar
de que estabais en la villa.

COMENDADOR: De vos[4] me estaba quejando;
pues amor y educación
me daban más confianza,
por ser lo que somos los dos:
vos Maestre en Calatrava,
yo, vuestro Comendador.

[4] *vos:* tratamiento dado a un superior.

MAESTRE: Os quiero abrazar.

COMENDADOR: Me debéis ahora honrar
pues por vos yo doy la vida
y, aunque no tenéis la edad[5],
he conseguido que el Papa
os vaya a nombrar Maestre.

MAESTRE: Es verdad.
Y por la cruz de Calatrava
que llevamos en el pecho
siempre os voy a estimar
y a honrar como a mi padre.

COMENDADOR: De vos estoy satisfecho.

MAESTRE: ¿Cómo va la guerra por allá?

COMENDADOR: Estad atento.

MAESTRE: Decidme, podéis hablar.

COMENDADOR: Don Rodrigo Téllez Girón,
aunque tenéis pocos años,
sabed que es vuestra obligación
seguir fiel en este caso
a vuestro difunto padre,
que apoyó a doña Juana.
Muerto ya Enrique IV[6],
ha heredado Castilla
Alfonso de Portugal,
marido de doña Juana.
El rey portugués desea
que Castilla le obedezca.

[5] *no tenéis la edad:* las constantes referencias a la poca edad de don Rodrigo le disculpan de haber luchado contra los Reyes Católicos responsabilizando de este hecho a sus malos consejeros.

[6] *Enrique IV:* a su muerte, se produjo un problema hereditario. Este rey nunca reconoció que Juana fuese su hija. Muchos nobles nombraron reina de Castilla a Isabel, la hermana del rey muerto, pero otros defendían a doña Juana.

Esto también lo pretende
don Fernando de Aragón,
que quiere que su mujer,
la princesa Isabel,
sea reina de Castilla.
Pues Fernando e Isabel
y también sus partidarios
dicen que hay gran engaño
en la sucesión de Juana.
Y así vengo a aconsejaros
que juntéis los caballeros
de Calatrava en Almagro
y ocupéis Ciudad Real,
villa que divide el paso
de Andalucía a Castilla.
Se precisa poca gente
porque tienen por soldados
solamente a sus vecinos
y a algunos pocos hidalgos[7]
que defienden a Isabel
y llaman rey a Fernando.
Quiero que vos deis ejemplo
de vuestro valor inmenso.
Sacad esa blanca espada
que se pondrá peleando
tan roja como la cruz
que vos lleváis en el pecho.

MAESTRE: Confiad en mí.
No quiero que nadie crea
que por tener pocos años

[7] *hidalgos:* personas de clase noble, aunque inferior.

no tengo valor ni fuerza.
Y vos, ¿tenéis soldados?

COMENDADOR: Pocos, pero tengo criados
que con vos se pueden ir.
Sabed que en Fuenteovejuna[8]
hay gente humilde y plebeya[9]
que nada saben de batallas,
pues solo labran la tierra.

[8] *Fuenteovejuna:* villa de la provincia de Córdoba.

[9] *plebeya:* perteneciente a la plebe, clase social baja.

MAESTRE: ¿Allí residís?

COMENDADOR: Allí.

MAESTRE: Que vuestra gente se registre.

COMENDADOR: Irán todos mis vasallos.

MAESTRE: Hoy me veréis a caballo,
con la lanza preparado. *(Se van.)*

[Plaza de Fuenteovejuna.]

(Salen Pascuala y Laurencia, que hablan de Fernán Gómez.)

LAURENCIA: ¡Ruego al cielo que jamás
le vea en Fuenteovejuna!

PASCUALA: Yo, Laurencia, he visto alguna
tan brava como tú e incluso más,
y tenía el corazón
blando como la manteca.

LAURENCIA: ¿Hay encina tan firme y seca
como mi intención?

PASCUALA: ¡Anda ya! Que nadie diga
de esta agua no beberé[10].

[10] *de esta agua no beberé:* expresión que se usa para poner en duda una intención.

LAURENCIA: ¡Voto al sol[11] que lo diré
aunque el mundo me contradiga!
¿A quién aprovecharía
que quiera yo a Fernando[12].
¿Me iría a casar con él?

PASCUALA: No.

LAURENCIA: Así, pues, la infamia condeno.
¡Cuántas mozas en la villa,
confiaron en el Comendador
y a todas las engañó!

PASCUALA: Será milagro o maravilla
que te escapes de sus manos.

LAURENCIA: Hace un mes que me persigue
y hasta ahora ha sido en vano[13].
Aquel Flores, su alcahuete[14],
y Ortuño, el socarrón,
me mostraron un jubón[15],
un collar y un sombrerete.
Me dijeron tantas cosas
de Fernando, su señor,
que me llené de temor;
pero no serán poderosas
para dominar mi corazón.

PASCUALA: ¿Dónde te hablaron?

LAURENCIA: Allá en el arroyo,
hace seis días.

PASCUALA: Pues yo sospecho
que te engañará, Laurencia.

[11] *¡Voto a...!:* juramento típico en el teatro del Siglo de Oro.

[12] *Fernando:* se refiere al Comendador.

[13] *en vano:* inútil.

[14] *alcahuete:* criado que busca mujeres para el disfrute de su señor.

[15] *jubón:* vestido.

LAURENCIA: Aunque joven, no soy tonta
y le conozco muy bien,
sus palabras, sus embustes...
Pero valoro al mediodía
ver las vacas por la hierba
comer con la boca llena
con deliciosa armonía;
y comer, si tengo hambre,
con un trozo de pan
un chorizo u otro fiambre
que tanto gusto me dan;
y después una merienda
con las uvas de mi viña
mientras la cena se aliña
y se prepara la mesa;
y cenar un guiso de carne
con su aceite y su pimienta
e irme a la cama contenta
y dormir a pierna suelta[16].
Pues los hombres es muy claro
que su único interés
es acostarse con gusto
y amanecer con enfado.

PASCUALA: Tienes, Laurencia, razón:
Pues así los hombres son:
siempre que nos necesitan
somos su ser y su vida,
su alma y su corazón;
pero pasado el fuego,
y satisfecho el deseo,
se termina su pasión.

[16] *dormir a pierna suelta:* dormir tranquila, relajadamente.

LAURENCIA: ¡No hay que fiarse de ninguno!

PASCUALA: Eso mismo opino yo.

(Salen Mengo, Barrildo y Frondoso.)

FRONDOSO: ¡Dios os guarde,
hermosas damas!

LAURENCIA: Frondoso, ¿damas nos llamas?

FRONDOSO: Queremos estar al día
y por eso llamaremos:
al que estudia, licenciado;
al ignorante, sesudo[17];
al ojo pequeño, agudo[18],
y buen hombre, al descuidado.
Al ciego, diremos tuerto;
al bizco, un resentido;
al gracioso, entretenido,
y serio al descontento.
Por eso os llamo damas,
aunque sé que sois villanas[19].

LAURENCIA: Allá en la ciudad, Frondoso,
lo dicen por cortesía;
pero hay otro vocabulario
que más descortés sería.

FRONDOSO: Querría que lo dijeses.

LAURENCIA: Pues dice todo lo contrario
y por eso llamaremos:
al hombre serio, enfadoso;
al que es cortés, lisonjero[20],
hipócrita, al limosnero

[17] *sesudo:* que tiene seso o cerebro, prudencia.

[18] *agudo:* referido al ojo, que capta pronto las sensaciones.

[19] *villanas:* mujeres del pueblo o villa, de clase baja.

[20] *lisonjero:* que adula para agradar.

y al que regaña, odioso.
Molesto al que aconseja;
y al que conversa poco,
bobo por su torpeza,
o peor, idiota o tonto.
Necia, a la mujer honesta;
mal hecha, a la hermosa y casta,
y a la honrada... Pero basta,
que esto vale por respuesta.

MENGO: ¡Eres el demonio!

LAURENCIA: Decidme, ¿qué hacéis aquí?
¿Cuál es esta vez la apuesta?

FRONDOSO: Yo y Barrildo contra Mengo.

LAURENCIA: ¿Qué dice Mengo?

MENGO: Que no hay amor.

LAURENCIA: Es una exageración.

BARRILDO: Es absurdo, es tontería.
Sin amor no se podría
ni el mundo conservar.

MENGO: Yo no sé filosofar,
¡ojalá leer supiera!
Pero creo que es verdad
que todo en discordia está,
y que nada vive en paz.

BARRILDO: Mengo, todo es armonía.
Armonía es puro amor,
porque el amor es acuerdo.

MENGO: Jamás yo voy a negar
que cada uno tiene su amor;
no pondré en duda el valor
de ese amor natural.
Mi mano, cuando llega el golpe,
mi cara protegerá;
mis pies cuando me persiguen
me librarán de ese mal;
y las pestañas se cierran
si al ojo le viene mal,
porque es amor natural.

PASCUALA: ¿Adónde quieres llegar?

MENGO: A demostrar que nadie ama
más que a su misma persona.

PASCUALA: Equivocado estás, Mengo,
y perdona.

MENGO: ¿Qué es para ti el amor?

LAURENCIA: Un deseo de hermosura.

MENGO: Y esa hermosura,
¿por qué el amor siempre la busca?

LAURENCIA: Para gozarla.

MENGO: Estoy de acuerdo.
Pero ese gusto que busca,
¿no es para uno mismo?

LAURENCIA: Es así.

MENGO: Entonces, por quererse a sí mismo
uno busca lo que le agrada.

LAURENCIA: Hay verdad en tus palabras.

MENGO: Pues de ese modo solo hay
ese amor que yo os digo,
y que por gusto lo sigo.

PASCUALA: Da gracias, Mengo, a los cielos
que te hicieron sin amor.

MENGO: *(A Laurencia.)* ¿Amas tú?

LAURENCIA: Mi propio honor.

FRONDOSO: Dios te castigue con celos.

BARRILDO: ¿Quién gana la discusión?

PASCUALA: Laurencia no quiere bien;
yo tengo poca experiencia.
¿Quién ha ganado la apuesta?

FRONDOSO: La ha ganado el desdén[21].

(Sale Flores.)

FLORES: ¡Dios guarde a la buena gente!

PASCUALA: *(A Laurencia aparte.)*
Este es criado del Comendador.

LAURENCIA: ¿Qué noticias traes?
¿De dónde vienes?

FLORES: ¿No me ves vestido de soldado?

LAURENCIA: ¿Viene don Fernando para acá?

FLORES: La guerra ha finalizado,
pero nos ha costado
la vida de seres queridos.

[21] *desdén:* indiferencia y desprecio; aquí, por orgullo y amor propio.

FRONDOSO: Contadnos lo que pasó.

FLORES: ¿Quién mejor que yo lo dirá
siendo como fui testigo?
Para empezar el camino
hacia esta ciudad que ya tiene
nombre de Ciudad Real,
junto al valiente Maestre
salieron dos mil infantes[22]
de sus vasallos valientes
y trescientos a caballo
entre seglares y frailes.
Salió el muchacho valiente
con una camisa verde
toda bordada en oro,
que daba placer verle.
Por las mangas asomaban
unos brazos musculosos
que buena envidia daban
a todo el que miraba.
A su lado, Fernán Gómez
de naranja y plata viene,
y toda su ropa brilla
con las perlas relucientes.
La ciudad cogió las armas
porque dice que no quiere
salir de la corona real
y su patrimonio defiende.
Tras una lucha durísima
los rebeldes son vencidos
y a todos sus enemigos

[22] *infantes:* soldados que van a pie.

el Maestre los castiga.
Ahora respetan y temen
a quien con tan pocos años
pelea, castiga y vence
con la fuerza de un león.
Pero ya suena la música:
¡Ya llega el Comendador!
Recibidle alegremente.

(Salen el Comendador y Ortuño, los músicos y Esteban y Alonso, alcaldes.)

MÚSICOS: *Sea bien venido*
el Comendador
de rendir las tierras
y matar los hombres.
¡Vivan los Guzmanes!
¡Vivan los Girones!
¡Viva muchos años,
viva Fernán Gómez!

COMENDADOR: Pueblo, yo os agradezco,
el amor que me mostráis.

ALONSO: *(Dirigiéndose al Comendador.)*
Pues aún no muestra
ni una parte del que siente.
Vos merecéis ser amado.

ESTEBAN: Fuenteovejuna y su gente
os ruega que recibáis
estos pequeños presentes[23]
que vienen en esos carros:
cestas, vasijas de barro,

[23] *presentes:* aquí, regalos.

gansos y otros ganados.
Buen vino, chorizo y queso,
y que todos esperamos
le sean de gran provecho[24].

[24] *de provecho:* de utilidad.

ALONSO: Descansad, señor, ahora,
y sed muy bien venido.

COMENDADOR: Gracias, señores.
Id con Dios.

ESTEBAN: ¡Ea, cantores,
cantemos otra vez al Comendador!

MÚSICOS: *Sea bien venido*
el Comendador
de rendir las tierras
y matar los hombres.

(Se van.)

COMENDADOR: Esperad vosotras dos.

LAURENCIA: ¿Qué manda su señoría[25]?

[25] *señoría:* tratamiento de cortesía para el que ocupa un cargo.

COMENDADOR: ¿No sois mías?

PASCUALA: Sí, señor,
pero no para cualquier cosa.

COMENDADOR: Ordeno que entréis conmigo,
no tengáis desconfianza.

LAURENCIA: Cuando entren los alcaldes,
que de uno hija soy,
entraremos, pero si no…

–Fuenteovejuna y su gente os ruega que recibáis estos pequeños presentes que vienen en estos carros.

COMENDADOR: ¡Flores!

FLORES: Señor…

COMENDADOR: ¿Por qué no hacen lo que digo?

FLORES: Entrad, necias, id con él;
entrad que os quiere enseñar
lo que trae de la guerra.

COMENDADOR: Si entran, cierra la puerta.

LAURENCIA: Flores, dejadnos marchar.
¿No es suficiente para vuestro señor
tanta carne hoy regalada?

FLORES: La vuestra es la que le agrada.

LAURENCIA: ¡Pues se quedará sin ella! *(Se van.)*

FLORES: Cuando el Comendador vea
que no venimos con ellas,
no sé si podré sufrir
lo que nos va a decir.

ORTUÑO: Al criado le ocurre esto:
aguanta si quieres medrar[26]
y si paciencia te falta,
te despides y te vas.

[26] *medrar:* mejorar de fortuna.

[Habitación del palacio de los Reyes Católicos.]

ISABEL: Digo, señor, que conviene
no descuidarse en esto,
pues si no Alfonso y Juana
se quedarán con el reino.

REY: En Navarra y Aragón
tengo auxilio seguro,
y en Castilla yo procuro
actuar con precaución.

MANRIQUE: Aguardando tu permiso
dos regidores[27] están
de Ciudad Real;
¿les mando entrar?

REY: Que vengan a mi presencia.

(Salen dos regidores de Ciudad Real.)

REGIDOR 1.º: Católico rey Fernando,
a quien ha enviado el cielo
desde Aragón a Castilla
para bien y consuelo nuestro:
en nombre de Ciudad Real
ante vosotros nos presentamos
porque protección queremos.
Con mucha dicha llevamos
el gran honor de ser vuestros,
pero este honor lo ha derribado
el famoso don Rodrigo
Téllez Girón, cuyo esfuerzo
y valor son conocidos
a pesar de ser tan joven.
Con valor nos resistimos
tanto, que corrían ríos
con la sangre de los muertos.
Tomó la ciudad, en fin,
pero no lo hubiese hecho

[27] *regidores:* concejales del ayuntamiento de un pueblo o una villa.

de no darle Fernán Gómez
orden, ayuda y consejo.
Ahora le pertenecemos,
y sus vasallos seremos;
suyos, aunque no queramos,
si no se remedia pronto.

REY: ¿Dónde está ese Fernán Gómez?

REGIDOR 1.º: Creo que en Fuenteovejuna
por ser esa su villa y tener
en ella casa y asiento[28].
Allí tiene a los villanos
tristes y poco contentos.

[28] *asiento:* lugar donde el Comendador tiene el señorío y las rentas de esas tierras.

REY: ¿Tenéis algún capitán?

REGIDOR 2.º: Ninguno en este momento,
pues no escapó ni un noble
de ser preso, herido o muerto.

ISABEL: Pues este asunto necesita
enseguida una solución,
hay que darse mucha prisa,
hay que pasar a la acción.
Pues el rey de Portugal,
si halla puerta segura,
entrará por Extremadura
y causará mucho mal.

REY: Don Manrique, id allá,
llevando dos compañías[29].

(Se van.)

[29] *compañías:* soldados al mando de un capitán.

[Campo de Fuenteovejuna.]

(Salen Laurencia, que lava en el río, y Frondoso.)

LAURENCIA: A medio secar la ropa,
quise, atrevido Frondoso,
alejarme del arroyo
para que no hablen de mí;
pues murmura el pueblo todo,
que me miras y te miro
y nadie nos quita el ojo[30].

FRONDOSO: A pesar de tu indiferencia,
me ofreces, bella Laurencia,
la vida cuando te oigo.
Si sabes que mi propósito
es ser un día tu esposo,
mal premio das a mi fe.

LAURENCIA: Es que yo no sé dar otro.

FRONDOSO: ¿De verdad que no te apenas
de verme tan pesaroso
y que por pensar en ti
ni bebo, duermo ni como?

LAURENCIA: ¡Pues cúrate ya, Frondoso!

FRONDOSO: Te estoy pidiendo salud,
que estemos cual tortolitos[31]
y que juntemos los picos
con cariñosas caricias,
después de darnos la Iglesia…

LAURENCIA: Díselo a mi tío Juan Rojo,
que aunque no te quiero bien,
te voy apreciando un poco.

[30] *nadie nos quita el ojo:* no paran de mirarnos.

[31] *cual tortolitos:* como una pareja de enamorados.

FRONDOSO: ¡Ay de mí! El señor llega.

LAURENCIA: Y viene arrastrando un corzo
que acaba de cazar.
¡Escóndete en esas ramas!

(Sale el Comendador.)

COMENDADOR: Qué suerte venir siguiendo
un corzo asustado
y encontrar tan bella cierva.

LAURENCIA: Aquí descansaba un poco
después de lavar estas prendas[32];
y vuelvo ahora al arroyo
si al señor no le molesta.

COMENDADOR: Si huir siempre pudiste
de mis amorosos ruegos,
hoy no permitirá el campo,
tan solitario y secreto,
que sigas siendo soberbia
y me respetes tan poco.
¿No se rindió Sebastiana,
mujer de Pedro Redondo,
y la de Martín del Pozo,
cuando era recién casada?

LAURENCIA: Esas ya tenían, señor,
costumbre de estar con otros;
porque a otros muchos mozos
ellas les dieron su amor.
¡Id con Dios y vuestro corzo!

[32] *prendas:* aquí, ropas.

Si no os viera con la cruz
creería que sois un demonio.

COMENDADOR: ¡Qué manera de enfadarse!
Pongo la ballesta[33] en tierra
y sólo con estas manos
reduciré tanta delicadeza.

[33] *ballesta:* arma antigua de hierro para lanzar flechas.

LAURENCIA: ¡Cómo!
¿Eso hacéis? ¿Estáis loco?

(Sale Frondoso y coge la ballesta.)

FRONDOSO: Comendador generoso,
dejad a la moza en paz.

COMENDADOR: ¡Perro villano!

FRONDOSO: No hay perro.
¡Huye, Laurencia!

LAURENCIA: ¡Frondoso,
mira bien lo que haces!

FRONDOSO: Vete.

COMENDADOR: Ya Laurencia se ha marchado.
¡Suelta la ballesta, villano!

FRONDOSO: ¿Cómo? Si así lo hiciera,
me quitaríais la vida.

COMENDADOR: Un caballero no puede
pelear contra un villano;
tira pronto la ballesta,
o yo romperé esas leyes.

FRONDOSO: Eso no. No es necesario.
Para salvar la vida,
con la ballesta me marcho.

COMENDADOR: Vete ya, vete muy lejos
que yo he de vengar
el agravio que habéis hecho.

Acto Segundo

[Plaza de Fuenteovejuna.]

(Salen el Comendador, Ortuño y Flores y se acercan a Esteban, el alcalde y al Regidor, que charlan animadamente.)

COMENDADOR: ¡Dios guarde a la buena gente!

ESTEBAN: ¿Su señoría vio el galgo?

COMENDADOR: Lo han visto mis criados
y admirados se han quedado
de su inmensa ligereza.

ESTEBAN: Pardiez[34], ¡qué buena pieza es!

COMENDADOR: Quisiera que en esta ocasión
fuera detrás de una liebre
que yo no puedo cazar.

[34] *Pardiez:* exclamación antigua, equivalente a la actual ¡caramba!

Esteban: Así se hará. ¿Dónde está?

Comendador: Allá; vuestra hija es.

Esteban: ¿Mi hija?

Comendador: Sí, esa es.
Reñidla alcalde, por Dios.

Esteban: Vos, señor, no hacéis bien
en hablar tan libremente.

Comendador: ¡Oh, qué villano elocuente!

Esteban: Mirad que en Fuenteovejuna
hay gente muy importante.

Comendador: ¿He dicho alguna cosa
que os moleste, Regidor?

Regidor 1.º: Lo que decís es injusto;
no lo digáis, que no es justo
que nos quitéis el honor.

Comendador: ¿Vosotros tenéis honor?

Esteban: Esas palabras ofenden.

Comendador: ¡Qué atraso el de estos villanos!
Y en las ciudades ¡qué suerte!,
pues los hombres importantes
hacen realidad lo que quieren.
Contentos están los casados
de que hombres principales
visiten a sus mujeres.

Esteban: Con esto que hemos oído
no viviremos tranquilos.

COMENDADOR: ¡Levantaos de aquí!
Fuera de la plaza salid.

(El Comendador se acerca a ellos y los empuja.)

ESTEBAN : Ya nos vamos.

FLORES: Que te comportes, te ruego.

COMENDADOR: ¡Querían hacer corrillo[35]
los villanos en mi ausencia!

ORTUÑO: Ten un poco de paciencia.

COMENDADOR: *(Gritando a los villanos.)*
Váyanse para sus casas
y no se queden aquí.

REGIDOR: ¡Oh, cielos! ¿Y esto aguantas?

ESTEBAN : Yo ya me voy por aquí.

(Se van y quedan solos el Comendador y sus criados.)

COMENDADOR: ¿Qué os parece esta gente?

ORTUÑO: No quieres escuchar
el disgusto que se siente.

COMENDADOR: ¿Estos se igualan conmigo?
¿Y el villano ha de quedarse
con mi ballesta y sin castigo?
¿Dónde estará Frondoso?

FLORES: Dicen que anda por ahí.

COMENDADOR: ¡Cómo puede un mozo
poner ballesta en el pecho

[35] *corrillo:* grupo de personas que se juntan para hablar.

a un capitán cuya espada
hace temblar a Granada!
El mundo se acaba, Flores.

FLORES: Contra eso pueden amores.

COMENDADOR: Me he contenido hasta ahora;
Si no, en solo unas horas
hubiese pasado por las armas[36]
a las gentes del lugar.
Por cierto, ¿qué sabes de Olalla?

ORTUÑO: Creo que su desposado[37]
anda tras ella estos días
celoso con mis recados.
Pero si se descuida,
tú la gozarás primero.

COMENDADOR: ¿Qué es de Inés la de Antón?

FLORES: Dice que en cualquier ocasión
se entregará a tus deseos.

COMENDADOR: A las mujeres tan fáciles
quiero bien y pago mal;
las suelo olvidar muy pronto,
porque poco me costó
lo que pude desear.

(Sale el soldado Cimbranos.)

SOLDADO: ¿Está aquí el Comendador?

ORTUÑO: ¿No lo ves que está ahí?

SOLDADO: ¡Oh, valiente Fernán Gómez!
Coge nuevamente las armas,

[36] *pasado por las armas:* expresión para indicar un castigo; aquí, matar.

[37] *desposado:* novio que está a punto de casarse.

pues Rodrigo está cercado[38]
por la reina castellana.
Y aunque el rey de Portugal
quiera a Rodrigo ayudar
poco podrá hacer por él.
Ponte a caballo, señor,
que solo con que te vean
se volverán a Castilla
el rey Fernando y la reina.

Comendador: Calla y espérame fuera.
Haz, Ortuño, que en la plaza
toquen pronto una trompeta.
¿Cuántos soldados hay aquí?

Ortuño: Pienso que tienes cincuenta.

Comendador: Que suban a sus caballos.

Soldado: Si no te marchas deprisa
Ciudad Real es del rey.

Comendador: No lo será de ninguna manera.

(Se van.)

[Campo próximo a Fuenteovejuna.]

(Salen Mengo, Laurencia y Pascuala huyendo.)

Pascuala: No te apartes de nosotras.

Mengo: ¿Por qué aquí tenéis temor?

Laurencia: Mengo, a la villa es mejor
que vayamos todos juntos
por miedo al Comendador.

[38] *cercado:* rodeado militarmente.

MENGO: ¿Por qué este diablo cruel
resulta siempre molesto?

[39] *no nos deja ni a sol ni a sombra:* no nos deja en paz.

LAURENCIA: No nos deja ni a sol ni a sombra[39].

MENGO: Los del pueblo me han contado
que Frondoso, aquí en el prado,
puso en su pecho la ballesta
para salvar a Laurencia.

LAURENCIA: A los hombres aborrecía,
Mengo, pero desde aquel día,
los miro de otra manera.
¡Gran valor tuvo Frondoso!
Pienso que su valentía
puede costarle la vida[40].

[40] *costarle la vida:* ocasionar su muerte.

MENGO: Imprescindible será
que se vaya del lugar.

LAURENCIA: Aunque yo le quiero bien,
eso mismo le aconsejo;
pero recibe mi consejo
con ira, rabia y desdén.
Y jura el Comendador
que ha de colgarle de un pie.

(Sale Jacinta e interrumpe su conversación.)

JACINTA: ¡Socorredme, por favor,
socorredme, amigas mías!

LAURENCIA: ¿Qué es lo que pasa, Jacinta?

JACINTA: Hombres del Comendador
que van a Ciudad Real,

me quieren con él llevar
contra mi voluntad.

LAURENCIA: Pues, Jacinta, Dios te libre.

(Se va.)

PASCUALA: Jacinta, yo no soy hombre
que te pueda defender. *(Se va.)*

MENGO: Jacinta, yo sí lo soy,
porque tengo el ser y el nombre.
Acércate a mí, Jacinta.

JACINTA: ¿Tienes armas?

MENGO: Piedras hay, Jacinta, aquí.

(Salen Flores y Ortuño.)

FLORES: ¿Dónde pensabas marcharte?

JACINTA: Muerta soy.

MENGO: Señores...

ORTUÑO: ¿Vas a defender a esta mujer?

MENGO: Con ruegos yo la defiendo,
y pretendo protegerla
si es que esto puede ser.

FLORES: Quitadle pronto la vida.

MENGO: ¡Voto al sol, que Jacinta
de aquí no mueve los pies!

(Salen el Comendador y el soldado Cimbranos.)

COMENDADOR: ¿Qué es eso? ¿Por cosas tan tontas
me tendré yo que humillar?

FLORES: Son gentes de este lugar.
Matadlos ya de una vez,
pues en nada te dan gusto
y se atreven a desobedecer.

MENGO: Señor, si la piedad os mueve
en este suceso injusto,
castigad a estos soldados
que en vuestro nombre ahora
roban a una labradora;
y dadme permiso a mí
para llevarla hasta el pueblo.

COMENDADOR: Permiso les quiero dar…
para vengarse de ti.
¡Suelta la honda[41]!

[41] *honda:* objeto para tirar piedras.

MENGO: ¡Señor!

COMENDADOR: Flores, Ortuño, Cimbranos,
con ella atadle las manos.

MENGO: ¿Así defendéis su honor?

FLORES: ¿Ha de morir?

COMENDADOR: No ensuciéis
las armas que honraréis
mejor en otro lugar.

ORTUÑO: ¿Qué mandas?

COMENDADOR: Que le azotéis.
A ese roble llevadle
y con las riendas[42] azotadle.

[42] *riendas:* correas que sirven para dirigir y conducir los caballos.

MENGO: ¡Piedad, pues sois hombre noble!

(Se van.)

COMENDADOR: Tú, villana, ¿por qué huyes?
¿Es mejor un labrador
que un hombre de mi valor?

JACINTA: Sí, porque es hombre con honor.

COMENDADOR: ¡Vete por ahí!

JACINTA: ¿Con quién?

COMENDADOR: Conmigo.

JACINTA: Piénsalo bien.

COMENDADOR: Para tu mal lo he pensado.
Ya no te quiero a mi lado,
del ejército has de ser.

JACINTA: ¡Piedad, señor!

COMENDADOR: ¡No hay piedad!
¡Ea, villana, camina!

MENGO: Ruego a la justicia divina
que castigue tu crueldad.

(La llevan y se van. Salen Laurencia y Frondoso.)

LAURENCIA: ¿Qué haces aquí?
¿No tienes miedo?

FRONDOSO: Desde aquella cuesta vi
partir al Comendador
y acordándome de ti
perdí todo mi temor.
¡Ojalá no vuelva aquí!

LAURENCIA: Deja de maldecir
porque suele vivir más
al que la muerte desean.

FRONDOSO: Laurencia, quiero saber
si sientes algo por mí.
Mira que toda la villa
cree que somos pareja.
Respóndeme no o sí.

LAURENCIA: Pues a la villa y a ti
yo respondo que lo somos.

FRONDOSO: Deja que bese tus pies.

LAURENCIA: Esos cumplidos[43] acorta,
y para hacerlo bien
habla Frondoso a mi padre,
que es lo que más importa.
Mira, allí viene con mi tío.

FRONDOSO: ¡En Dios confío! *(Se esconde.)*

(Salen Esteban y el Regidor.)

ESTEBAN: Y se marchó de tal modo
que alborotó el pueblo.
En efecto, él actuó
muy descomedido en todo.
La pobre Jacinta es quien
pierde por su sinrazón.

REGIDOR: Siento pena por Jacinta,
doncella digna y honrada.

ESTEBAN : Entonces, ¿azotó a Mengo?

[43] *cumplidos:* palabras de alabanza para agradar a alguien.

REGIDOR: Sus carnes, por los azotes,
están negras como la tinta.

ESTEBAN: Callad, que me siento arder
viendo su mal proceder.
Dime, ¿para qué llevo yo
este bastón[44] sin provecho?
Hace poco me contaron
que a la mujer de Pedro Redondo
un día en este valle abandonó,
y tras abusar de ella
a sus criados la dio.

REGIDOR: Aquí hay gente. ¿Quién es?

FRONDOSO: Yo, señor.

ESTEBAN: ¿Te ha ofendido ese loco?

FRONDOSO: Sí, señor, y no poco.

ESTEBAN: El corazón me lo dijo.

FRONDOSO: Señor, aquí he llegado,
para deciros que estoy
de Laurencia enamorado
y su esposo quiero ser.

ESTEBAN: Feliz y dichoso soy
de conocer tus proyectos,
pero razonable es
que tu padre sepa esto.

(Se van el Regidor y Esteban. Quedan Frondoso y Laurencia.)

LAURENCIA: Di, Frondoso, ¿estás contento?

[44] *bastón:* vara o palo que simboliza la autoridad del alcalde.

FRONDOSO: ¡Cómo no lo iba a estar!
Lo único que no entiendo
es cómo no me vuelvo loco
de la alegría que tengo. *(Se van.)*

(Salen el Maestre, el Comendador, Flores y Ortuño.)

COMENDADOR: Huye, señor,
que no hay otro remedio.

MAESTRE: Nos ha vencido
el poderoso ejército enemigo.

VOCES LEJANAS: ¡Victoria de los reyes de Castilla!

MAESTRE: Yo vuelvo a Calatrava,
Fernán Gómez.

COMENDADOR: Y yo a Fuenteovejuna.
Allí esperaré a que te decidas.
Dime si sigues en la lucha
o das esta causa por perdida.

MAESTRE: Te diré por carta lo que quiero.

COMENDADOR: El tiempo ha de enseñarte.

MAESTRE: ¡Ay! ¡Mis pocos años
derecho me llevan al engaño!

[Plaza de Fuenteovejuna.]

(Salen todos los invitados de la boda de Laurencia y Frondoso.)

MÚSICOS: *¡Vivan muchos años
los recién casados!
Y ruego a los cielos*

que no riñan nunca,
que no tengan celos.

(Salen el Comendador, Flores, Ortuño y Cimbranos.)

COMENDADOR: Que se detenga la fiesta
y no se alborote nadie.

JUAN ROJO: Así lo haremos, señor,
nos basta que tú lo mandes.

FRONDOSO: *(Aparte)* ¡Muerto soy! ¡Cielo, libradme!

LAURENCIA: ¡Huye por aquí, Frondoso!

COMENDADOR: ¡Coged al novio, atadle!

JUAN ROJO: Muchacho, irás a prisión.

FRONDOSO: ¿Quieres tú que ellos me maten?

COMENDADOR: No soy hombre yo
que mate sin culpa a nadie.
Llevadle pronto a la cárcel.

PASCUALA: Señor, mirad que él se casa hoy.
Si os ofendió, perdonadle.

COMENDADOR: A este joven labrador,
le castigo por el hecho
de poner al Comendador
una ballesta en el pecho.

ESTEBAN: Vos podréis disculparle,
pues actuó como amante
y defendió a la mujer
que vos queríais quitarle.

COMENDADOR: ¡Necio sois, alcalde!

ESTEBAN : ¡Señor, respetadme!

COMENDADOR: Nunca quise yo quitarle
su mujer, pues no lo era.

ESTEBAN : ¡Sí quisisteis...! Y esto baste,
que reyes hay en Castilla
que la injusticia castigan.

COMENDADOR: ¡Soldados! Quitadle la vara.
Con esa vara os daré
como a caballo salvaje.

ESTEBAN : Aquí estoy, señor, pegadme.

PASCUALA: ¡A un viejo vas a pegar!

LAURENCIA: Si le das porque es mi padre
te estás vengando de mí.

COMENDADOR: Llevadla y que diez soldados
la vigilen y la guarden.

(Se van el Comendador y los suyos.)

ESTEBAN : ¡Del cielo justicia baje! *(Se va.)*

BARRILDO: ¿No hay un hombre que hable?

MENGO: Yo tengo ya mis azotes.
Prueben otros a enojarle.

JUAN ROJO: Hablemos todos, señores.

Acto Tercero

[Sala del ayuntamiento en Fuenteovejuna, donde están reunidos los hombres del pueblo.]

(Salen Esteban y Barrildo.)

BARRILDO: Ya está en la sala
la mayor parte del pueblo.

ESTEBAN: *(Gritando.)*
¡Y Frondoso está
prisionero en la torre,
y Laurencia en un aprieto,
si Dios no la socorre...!

(Salen Juan Rojo, el Regidor y Mengo.)

JUAN ROJO: ¿Por qué gritas tanto?

ESTEBAN : Poco grito ante tanto espanto.

MENGO: Yo también vengo a esta junta.

ESTEBAN: Yo, labradores honrados,
quiero preguntaros algo:
¿hay alguno entre vosotros
al que aún no haya ofendido
este bárbaro inhumano?
¿A qué estamos esperando?

JUAN ROJO: Ya en las calles se publica
que los Reyes se aproximan
y que están cerca de Córdoba.
Vayan dos regidores a la villa
para pedirles remedio.

REGIDOR: Ya que el rey está ocupado
en derrotar a sus enemigos,
busquemos mejor remedio
para acabar con nuestro enemigo.

JUAN ROJO: ¿Qué quieres que intentemos?

BARRILDO: Morir, o matar a los tiranos.
¡Vayamos contra el señor
con las armas en las manos!

ESTEBAN: ¡A la venganza vamos!

(Sale Laurencia con los cabellos sueltos y despeinados.)

LAURENCIA: Dejadme entrar,
que en una reunión de hombres
bien puede una mujer,
si no dar su voto, dar voces.
¿Me reconocéis?

ESTEBAN: ¡Santo cielo!
¡Hija mía!

LAURENCIA: No me llames tu hija.

ESTEBAN: ¿Por qué?

LAURENCIA: ¡Por muchas razones!
Y esta es la principal:
has dejado que me roben
y no me has ido a vengar.
Aún no era mujer de Frondoso,
y, por tanto, la venganza
solo por tu cuenta corre[45].
Me llevó ante vuestros ojos
a su casa Fernán Gómez;
la oveja al lobo dejáis
como cobardes pastores.
Me amenazó con cuchillos,
con palabras y con golpes
por no dar mi castidad
a sus apetitos torpes.
¡Qué delitos tan atroces!
Mis cabellos, ¿no lo dicen?
¿No se ven aquí los golpes,
y las señales de la sangre?
Ovejas sois, bien lo dice
de Fuenteovejuna el nombre.
¡Dadme unas armas a mí,
pues sois piedras, sois de bronce!
Gallinas[46] sois que no hombres,
pues dejáis que vuestras mujeres
los poderosos las gocen.
El Comendador quiere ya,

[45] *por tu cuenta corre:* expresión que indica la responsabilidad de alguien para resolver un asunto.

[46] *Gallinas:* se aplica este nombre de animal a las personas cobardes.

sin sentencia ni pregones[47],
colgar al pobre Frondoso
de la almena de una torre;
y después hará lo mismo
con el resto de los hombres.

[47] *pregones:* anuncios públicos que interesaba dar a conocer.

Esteban: Yo, hija, no soy cobarde.
Iré solo, aunque se ponga
todo el mundo en mi contra.

Juan Rojo: Pues yo también voy a ir.

Regidor: Muramos todos.

Juan Rojo: ¿Qué orden nos vais dar?

Mengo: Ir a matarle sin orden.
Juntad al pueblo a una voz,
que todos están conformes
en que muera el opresor.

Esteban: Tomad todos las espadas,
ballestas, lanzas y palos.

Mengo: ¡Vivan nuestros reyes !

Todos: ¡Vivan muchos años!

Mengo: ¡Mueran los tiranos traidores!

Todos: ¡Mueran!

(Se van todos menos Laurencia.)

Laurencia: ¡Ah…, mujeres de la villa!
¡Acudid a recuperar el honor!
¡Acudid, acudid todas

(Salen Pascuala, Jacinta y otras mujeres.)

PASCUALA: ¿Qué es esto? ¿Por qué das voces?

LAURENCIA: ¿No veis que todos van
a matar a Fernán Gómez?
Mujeres, vamos allá
pues nuestras ofensas fueron
tan grandes como las de ellos.

JACINTA: Di, ¿qué es lo que pretendes?

LAURENCIA: Que salgamos todas juntas
y realicemos un hecho
que horrorice a todo el mundo.

[Sala en la casa del Comendador.]

(Salen a escena Frondoso, con las manos atadas; Flores, Ortuño, Cimbranos y el Comendador.)

COMENDADOR: De ese cordel
quiero que le colguéis
en la primera almena.

FRONDOSO: *(Al Comendador.)*
Nunca fue mi intención
darte muerte aquella tarde.

(Se oye ruido.)

COMENDADOR: ¿Qué es ese ruido?

ORTUÑO: ¡Rompen las puertas!

FLORES: ¡El pueblo junto viene!

JUAN ROJO: *(Dentro.)*
¡Rompe, derriba, quema, abrasa!

ORTUÑO: Un motín[48] mal se detiene.

[48] *motín:* rebelión del pueblo en protesta contra la autoridad.

COMENDADOR: ¿El pueblo contra mí?

FLORES: Su furia es tan inmensa
que han derribado las puertas.

COMENDADOR: ¡Desatadle!
Y tú, Frondoso,
pídele calma al alcalde.

FRONDOSO: Ya voy, señor, que es el amor
quien les ha traído aquí. *(Se va.)*

MENGO: *(Dentro.)* ¡Vivan Fernando e Isabel,
y mueran los traidores!

FLORES: Señor, por Dios te pido
que salgas de aquí.

COMENDADOR: Mi puesto es tan seguro
que se tendrán que marchar.

FLORES: Eso sí que no lo harán,
porque el pueblo agraviado
con sangre se quiere vengar.

FRONDOSO: *(Dentro.)*
¡Viva Fuenteovejuna!
¡Mueran los tiranos!

(Salen todos.)

COMENDADOR: ¡Pueblo, esperad!

TODOS: Los agravios nunca esperan.

COMENDADOR: Decídmelos pronto a mí.
Escucharé mis errores
y pagaré por todos ellos
porque soy un caballero.

TODOS: ¡Viva el rey Fernando!
¡Mueran los malos cristianos!

COMENDADOR: ¿No me queréis oír?
¡Yo soy vuestro señor!

TODOS: ¡Nuestros señores
son los Reyes Católicos!

COMENDADOR: ¡Espera!

TODOS: ¡Viva Fuenteovejuna
y que Fernán Gómez muera!

(Se van, y salen las mujeres armadas.)

LAURENCIA: Parad aquí, mujeres atrevidas.

PASCUALA: ¡Grande será nuestra venganza!

ESTEBAN: *(Dentro.)*
¡Muere, traidor Comendador!

COMENDADOR: *(Dentro.)* Ya muero.
¡Señor, de ti espero compasión!

BARRILDO: *(Dentro.)*
Aquí está el alcahuete de Flores.

MENGO: ¡Dale duro a ese traidor,
pues él me dio dos mil azotes!

LAURENCIA: Vamos a entrar.

PASCUALA: Es mejor guardar la puerta.

LAURENCIA: Yo voy dentro con mi espada.

BARRILDO: *(Dentro.)* Aquí está Ortuño.

FRONDOSO: Córtale la cara.

(Salen Flores, huyendo, y Mengo detrás de él.)

FLORES: ¡Mengo, piedad,
que no soy culpable de nada!

MENGO: ¿No es suficiente
que me azotases con saña[49]?

[49] *con saña:* con furia.

PASCUALA: ¡Dánoslo a las mujeres, Mengo!

MENGO: ¡Cómo no! Ya está dado.

PASCUALA: Vengaré tus azotes a golpes.

JACINTA: ¡Muera el traidor!

FLORES: ¿Entre mujeres?

PASCUALA: ¿Y te asombras? ¿Por qué lloras?

JACINTA: ¡Muere por buscarle placeres al
Comendador!

FLORES: ¡Piedad, señoras!

PASCUALA: ¡Muera el traidor!

(Sale Ortuño huyendo de Laurencia.)

ORTUÑO: Mira que no soy yo…

LAURENCIA: ¡Ya sé quién eres!
Entrad, mujeres, y usad
vuestras armas vencedoras.

PASCUALA: ¡Moriré matando!

TODAS: ¡Viva Fuenteovejuna
y viva el rey Fernando!

–¿El pueblo contra mí?
–Su furia es tan inmensa que ha derribado las puertas.

[Sala del palacio de los Reyes Católicos.]

(Se van y salen el rey Fernando, la reina doña Isabel y don Manrique.)

MANRIQUE: Fue tal la prevención
que el efecto esperado
vamos a ver logrado
con muy poca oposición

REY: Con esto se asegura
que Alfonso de Portugal
no nos haga ningún mal.

(Sale Flores herido.)

FLORES: Católico rey Fernando,
oye la mayor crueldad
que se ha visto entre las gentes.

REY: Tranquilízate.

FLORES: Rey supremo,
de Fuenteovejuna vengo,
donde los vecinos de la villa
a su señor dieron muerte.
Estaban tan indignados
que le dan cien heridas y cortes
y el hecho salvaje sucede;
desde las altas ventanas
le tiran para que vuele
y, en el suelo, con espadas
le rematan las mujeres.
Su escudo de armas arrancan
y a gritos dicen que quieren

poner tus reales armas
porque las otras los ofenden.
Le saquearon la casa,
como si un enemigo fuese,
y gozosos entre todos
han repartido sus bienes.
Lo he visto todo escondido,
y así estuve todo el día,
hasta que la noche vino
y pude salir escondido
para contarte lo sucedido.
Haz, señor, pues eres justo,
que un castigo justo lleven.

REY: Puedes estar confiado
que todos serán castigados.
¡Rápido!, que vaya un juez
y castigue a los culpables
para ejemplo de las gentes,
que tan gran atrevimiento
castigo ejemplar merece.
Y curad a este soldado
de las heridas que tiene.

[Plaza de Fuenteovejuna.]

(Salen labradores y labradoras llevando la cabeza de Fernán Gómez clavada en una lanza.)

MÚSICOS: *¡Que vivan Isabel y Fernando,*
y mueran los tiranos!

REGIDOR: El nuevo escudo[50] ha llegado.

[50] *escudo:* superficie de piedra en la que se representan los símbolos de una familia.

JUAN ROJO: ¿Adónde se ha de poner?

REGIDOR: Aquí, en el Ayuntamiento.

ESTEBAN: ¡Magnífico escudo!
¡Vivan Castilla y León,
y las barras de Aragón[51],
y muera la tiranía!
Escuchad, Fuenteovejuna,
las palabras de este viejo,
pues no os ha dañado nunca
el aceptar mi consejo.
Los reyes van a querer
averiguar este asunto,
por eso pienso que juntos
decidamos qué hay que hacer.

FRONDOSO: ¿Cuál es tu propuesta?

ESTEBAN : Morir diciendo:
¡Fuenteovejuna!

FRONDOSO: Estoy de acuerdo. Diremos:
¡Fuenteovejuna lo ha hecho!

ESTEBAN : ¿Queréis contestar así?

TODOS: ¡Sí!

ESTEBAN : Pues ensayemos.
Imaginemos que soy el juez;
Mengo tiene que hacer
como que está sufriendo tortura.

MENGO: Yo me iba en este momento.

[51] *barras de Aragón:* al casarse los reyes Isabel y Fernando, se unen los reinos de Castilla y Aragón. Este último se representa en el nuevo escudo con cuatro barras rojas.

ESTEBAN : Venga, que no va en serio.
¿Quién mató al Comendador?

MENGO: ¡Fuenteovejuna lo hizo!

ESTEBAN: Confiesa o te martirizo.

MENGO: ¡Fuenteovejuna lo hizo!

(Sale el Regidor.)

REGIDOR: El juez acaba de llegar,
viene con un capitán.

ESTEBAN: ¡Atención! Recordad bien
lo que hay que responder.

REGIDOR: El pueblo viene preso
y no se libra ninguno.

ESTEBAN: ¡No hay que tener temor!
¿Quién mató al Comendador?

MENGO: ¿Quién? ¡Fuenteovejuna, señor!

(Se van.)

[Sala del palacio del Maestre de Calatrava.]

(Salen el Maestre y un soldado.)

MAESTRE: ¿Qué dices que ha sucedido?
Desgraciada fue su suerte.
Estoy por darte la muerte
por la noticia que has traído.

SOLDADO: Yo, señor, soy mensajero
y enojarte no quiero.

MAESTRE: ¡Qué gran atrevimiento
el de ese pueblo tan fiero!
Iré con quinientos hombres
y la villa he de arrasar;
en ella no ha de quedar
ni memoria de los nombres.

SOLDADO: Señor, frena tu enojo,
porque ellos al rey se han dado[52]
y no estar con el Rey disgustado
es lo que más te interesa.

[52] *ellos al rey se han dado:* el pueblo se ha alzado contra el Comendador y ha manifestado su deseo de servir al rey.

MAESTRE: Si al rey han apoyado,
se me quitará el enojo,
y presentarme ante él escojo
porque es lo más acertado:
que aunque sé que tengo culpa,
como está bien demostrado,
será mi poca edad
la que ahora me disculpa.

[Plaza de Fuenteovejuna.]

(Salen Frondoso y Laurencia.)

FRONDOSO: ¡Mi Laurencia!

LAURENCIA: ¡Esposo amado!
¿Qué haces aquí?
¿Cómo te atreves?
Huye, tu daño no esperes.

FRONDOSO: ¿Así pagas mi amoroso cuidado?
¿Está bien que a todos deje
en el peligro presente
y, además, de ti me aleje?

No tienes ahora razón
pues, por evitar mi daño,
sería con mi gente un extraño
en tan terrible ocasión.

(Voces dentro.)

Parece que he oído voces,
creo que son de un hombre
al que están dando tormento.
Oye con atento oído.

(Dentro habla el juez y los demás responden. En escena están solo Laurencia y Frondoso, que los escuchan y comentan lo que oyen.)

JUEZ: Decid la verdad, anciano.
Decid, ¿quién mató a Fernando?

FRONDOSO: Torturan a un viejo,
Laurencia.

ESTEBAN: Fuenteovejuna lo hizo.

LAURENCIA: Padre, no olvidaré tu valor.

JUEZ: Ahora tú, muchacho.
¡Di quién fue!

MUCHACHO: Fuenteovejuna, señor.

FRONDOSO: ¡Que a un niño le den tormento
y responda de ese modo!

LAURENCIA: ¡Bravo pueblo!

FRONDOSO: ¡Bravo y fuerte!

[53] *potro:* aparato de madera donde se colocaba a los sospechosos para darles tormento.

[54] *rollizo:* gordo, de cuerpo redondo.

JUEZ:	¡A esa mujer! Al momento en ese potro[53] poned. ¿Quién mató al Comendador?
PASCUALA:	Fuenteovejuna, señor.
JUEZ:	¡Traedme aquel más rollizo[54]...!
MENGO:	¡Ay, ay! Confesaré quién lo hizo.
FRONDOSO:	Mengo confesará con los golpes y el sufrimiento.
JUEZ:	¿Quién mató al Comendador?
MENGO:	¡Ay, yo lo diré, señor! Fue Fuenteovejuna.
JUEZ:	¡Del dolor se está burlando! Dejadlos, que ya estoy cansado.
FRONDOSO:	Ahora decidme, mi amor, ¿quién mató al Comendador?
LAURENCIA:	Fuenteovejuna, mi bien.
FRONDOSO:	¿Quién le mató?
LAURENCIA:	¡Me da terror, me da pánico! Pues Fuenteovejuna fue.
FRONDOSO:	Y yo, ¿con qué te maté?
LAURENCIA:	¿Con qué? Con quererme tanto.

[Habitación de la reina.]

(Salen el Rey y la reina doña Isabel, que están hablando en animada charla.)

REY: ¿Cómo dejasteis Castilla?

ISABEL: En paz queda, quieta y llana.

REY: Siendo vos quien la calma
me lo creo, reina mía.

(Llega Rodrigo Téllez Girón, Maestre de Calatrava.)

MAESTRE: Yo, Rodrigo Téllez Girón,
Maestre de Calatrava,
os pide humilde perdón.
Confieso que fui engañado,
y por eso no fui justo,
porque os causé gran disgusto
por ser mal aconsejado.
El consejo de Fernando
y el interés me engañó;
por eso ahora yo
perdón estoy suplicando.

REY: Levantaos, Maestre, del suelo,
y sed bien recibido.

(Sale Manrique.)

MANRIQUE: Señor, ha llegado el juez
que de Fuenteovejuna ha venido
y a los reyes quiere ver.

REY: *(Dirigiéndose al Maestre.)*
Sed juez de estos agresores.

MAESTRE: Si a vos, señor, no mirase,
yo les enseñaría
a matar comendadores.

(Sale el Juez.)

JUEZ: A Fuenteovejuna fui
como vos habéis mandado,
y con especial cuidado
y atención yo los oí.
Haciendo averiguación
del delito cometido
ni una hoja he escrito
que sirva de comprobación,
pues todos dicen a una:
"Lo hizo Fuenteovejuna".
Trescientos he torturado
y te prometo, señor,
que más que esto no he sacado.
Y como es imposible
el poderlo averiguar,
o los has de perdonar
o a todos has de matar.
Todos vienen ante ti
para poder explicarse
y de este modo informarte.

REY: Pues decidles que aquí entren.

(Salen los dos Alcaldes, Frondoso, las mujeres y otras gentes del pueblo.)

ISABEL: ¿Los agresores son estos?

ESTEBAN: Fuenteovejuna, señora,
que humildes llegan ahora
muy dispuestos a serviros.
La espantosa tiranía
del muerto Comendador,
que mil insultos hacía,
fue el autor de tanto daño.
Nuestros bienes robaba
y de las doncellas se aprovechaba.

FRONDOSO: Tanto era el mal, que a esta moza
que conmigo se casó
aquella noche primera
a su casa la llevó.

MENGO: ¡Ahora hablaré yo!
Porque quise defender
a una moza de sus garras,
azotó tanto mi espalda
que me duele todavía.

ESTEBAN : Señor, queremos ser tuyos.
esta es nuestra voluntad,
Esperamos tu clemencia,
vista ya nuestra inocencia.

REY: Como no puede averiguarse
el suceso ocurrido,
aunque fue grave delito
por fuerza ha de perdonarse.

FRONDOSO: Su Majestad habla, al fin,
y, como siempre, ha acertado.
Y aquí, discreto senado[55],
Fuenteovejuna da fin.

[55] *discreto senado:* se refiere a los espectadores de la obra; se utilizan estas palabras elogiosas para buscar su aplauso.

ACTIVIDADES

ACTIVIDADES DE COMPRENSIÓN LECTORA

ACTO PRIMERO

1. ¿Cómo se llama y dónde vive el Comendador?
2. ¿A quién apoya el Comendador para que herede el reino de Castilla?
3. ¿A quién convence el Comendador para ir a luchar a Ciudad Real?
4. ¿Quién gana la batalla?
5. ¿Cómo celebra Fuenteovejuna la vuelta del Comendador?
6. ¿Cómo se llama la mujer que desea y acosa el Comendador?
7. ¿Quién defiende a Laurencia del acoso del Comendador?

ACTO SEGUNDO

8. ¿Cuándo dudan las autoridades de Fuenteovejuna de las intenciones del Comendador?
9. ¿En qué momento descubre Laurencia que ama a Frondoso?
10. ¿Con quién habla Frondoso tras declararse a Laurencia?
11. ¿Por qué Jacinta pide socorro?
12. ¿Quién la defiende?
13. ¿Qué le sucede por defender a Jacinta?
14. ¿Por qué el Comendador tiene que volver a la guerra?
15. ¿Quién gana esta vez la batalla?
16. ¿Qué se celebra en Fuenteovejuna el día que regresa el Comendador?
17. ¿Qué hace el Comendador con Frondoso y Laurencia?

ACTO TERCERO

18. ¿Por qué los hombres se reúnen después de la boda?

19. ¿Qué mujer se presenta en esa reunión?

20. ¿Qué le reprocha a su padre?

21. ¿Qué decide hacer el pueblo contra el Comendador?

22. ¿Cómo celebran la muerte del Comendador?

23. ¿Qué decisión toma el pueblo para que la justicia no condene a nadie?

24. ¿Qué hace el Maestre de Calatrava al enterarse de la muerte del Comendador?

25. ¿Por qué los Reyes Católicos perdonan el crimen del Comendador?

ACTIVIDADES DE LÉXICO

1. Escribe los antónimos de estas palabras utilizando los prefijos correspondientes.

prefijos	palabras	antónimos
des-	honrar	....
dis-	culpar	....
in-	cortesía	....
im-	humano	....
	posible	....
	gusto	....

2. Laurencia se queja de que el pueblo murmura de las miradas entre Frondoso y ella y "nadie nos quita ojo". Relaciona cada una de las frases hechas con su significado.

– No le quita ojo.	Fijarse en algo con el propósito de tenerlo.
– Se le van los ojos.	Mirar con deseo algo o a alguien.
– Le echó el ojo.	No dejar de mirar algo.
– Le guiñó un ojo.	Exclamación de aviso o advertencia.
– Es todo ojos.	Hacer señas cómplices a alguien.
– ¡Ojo!	Mirar atentamente.

3. Mengo pretendía atacar al Comendador con piedras lanzadas con una *honda.* También una cosa puede ser *honda* o profunda. Y una *onda* es un rizo o una ola. Completa las frases con uno de estos términos.

honda (sustantivo) – honda (adjetivo) – onda (sustantivo)

a) A Laurencia le caía una .... muy graciosa sobre la frente.

b) Mengo hizo la .... con un trozo de cuero.

c) Me gusta ver las .... del mar.

d) En aquel lugar había una cueva muy ....

4. Ordena, de mayor a menor, el grado de autoridad que poseen estos cargos que aparecen en la obra.

alcalde	1) ....
rey	2) ....
regidor	3) ....
maestre	4) ....
comendador	5) ....

5. Relaciona las palabras que sean sinónimas.

necio	valiente
bravo	honesto
rollizo	ignorante
honrado	gordo

6. Además de labradores o campesinos, en un pueblo puede haber gentes que se dediquen a otras actividades. Completa cada frase con el nombre del oficio correspondiente.

lechera – carnicero – pastora – tabernero – costurera

a) El .... vendió todas las chuletas de cordero.
b) Esa mujer cose muy bien, es una buena ....
c) Ese .... tiene unos vinos excelentes.
d) La .... saca las ovejas al campo.
e) Tienen que ir a casa de la .... a por más leche.

ACTIVIDADES DE GRAMÁTICA

1. *Vos* es un antiguo pronombre personal que se usaba en el tratamiento a un superior, como en la actualidad *usted*. Los dos son pronombres de 2.ª persona del singular aunque *vos* lleva la forma verbal correspondiente a *vosotros* (2.ª persona del plural) y *usted* lleva la forma correspondiente a *él* (3.ª persona del singular).

Completa formas verbales del verbo *tener*.

Indicativo	**Subjuntivo**	**Imperativo**
Yo tengo	Yo	Ten (tú)
Tú	Tú tengas	.... (vos)
Vos tenéis	Vos	.... (usted)
Usted	Usted	
Él	Él	

2. En la oración "Pero tal vez alguien le aconseje que no sea cortés", el adverbio *tal vez* indica duda o posibilidad. Completa las frases con los siguientes adverbios de duda.

quizás – posiblemente – acaso – probablemente

a) ¿.................................... lloras?

b) .... sea como tú dices. Todo puede ser.

c) ¿Irás al cine con ellos? No sé, ...

d) El asesino escapó .... por la ventana.

3. Pascuala dice que hay mujeres que tienen el corazón "blando como la manteca". Completa estas comparaciones con el término más apropiado.

carbón – león – toro – nieve – gallina

a) Frondoso es bravo como un . . . .

b) El Comendador es fiero como el . . . .

c) Los hombres del pueblo han sido cobardes como . . . .

d) La ropa de Laurencia es blanca como la . . . .

e) Aquella moza tenía el pelo negro como el . . . .

4. Califica a los personajes de esta obra de teatro. Escribe el superlativo de los adjetivos en cursiva según corresponda.

a) El comendador no es *malo,* es . . . .

b) Frondoso es *buen* mozo, es el . . . .

c) Laurencia es una mujer sensata y *buena,* es . . . .

d) Los Reyes Católicos tienen un poder *grande,* el . . . .

e) Mengo es un chico muy *fuerte,* es . . . .

5. Imagina que estabas allí y oíste este diálogo. Transfórmalo en estilo indirecto.

LAURENCIA:

Aunque joven, no soy tonta
y le conozco muy bien,
sus palabras, sus engaños...
y su único interés
es acostarse con gusto
y amanecer con enfado.

PASCUALA:

Pues así los hombres son:
siempre que nos necesitan
somos su ser y su vida,
su alma y su corazón;
pero pasado el fuego,
y satisfecho el deseo,
se termina su pasión.

SOLUCIONES

ACTIVIDADES DE COMPRENSIÓN LECTORA

ACTO PRIMERO

1. Fernán Gómez de Guzmán. Vive en Fuenteovejuna.

2. Al rey de Portugal.

3. Al Maestre de Calatrava, don Rodrigo Téllez Girón.

4. El Maestre de Calatrava.

5. Con música y regalos para el Comendador.

6. Laurencia.

7. Frondoso.

ACTO SEGUNDO

8. Cuando dice en la plaza que quiere conseguir a Laurencia, que es la hija del alcalde.

9. Cuando la defiende ante el Comendador.

10. Con el padre de Laurencia, que es el alcalde.

11. Porque el comendador la quiere llevar cón él a Ciudad Real contra su voluntad.

12. Mengo.

13. Le dan una paliza.

14. Porque los Reyes Católicos han cercado al Maestre de Calatrava en Ciudad Real.

15. Los Reyes Católicos.

16. La boda de Laurencia y Frondoso.

17. A Laurencia se la lleva a su casa para pasar la noche de bodas con ella y a Frondoso lo hace prisionero.

ACTO TERCERO

18. Para tomar una decisión contra el tirano Comendador.

19. Laurencia.

20. Que no haya vengado su honor.

21. Matarlo.

22. Con música y colocando un escudo que representa los reinos de Castilla y León y de Aragón, es decir, el escudo de los Reyes Católicos.

23. Declarar que ha sido todo el pueblo quien ha dado muerte al Comendador.

24. Se presenta ante los Reyes Católicos para pedirles perdón y disculparse por su poca edad y haber sido mal aconsejado por el Comendador.

25. Porque no tienen pruebas para condenar a nadie y, además, el pueblo entero se somete al poder real.

ACTIVIDADES DE LÉXICO

1.

deshonrar	inhumano
disculpar	imposible
descortesía	disgusto

2.

– No le quita ojo	– No dejar de mirar algo.
– Se le van los ojos	– Mirar con deseo algo o a alguien.
– Le echó el ojo	– Fijarse en algo con el propósito de tenerlo.
– Le guiñó un ojo	– Hacer señas cómplices a alguien.
– Es todo ojos	– Mirar atentamente.
– ¡Ojo!	– Exclamación de aviso o advertencia.

3.

a) A Laurencia le caía una **onda** muy graciosa sobre la frente.
b) Mengo hizo la **honda** con un trozo de cuero.
c) Me gusta ver las **ondas** del mar.
d) En aquel lugar había una cueva muy **honda.**

4.

1) rey
2) maestre
3) comendador
4) alcalde
5) regidor

5.

necio – ignorante
bravo – valiente
rollizo – gordo
honrado – honesto

6.

El **carnicero** vendió todas las chuletas de cordero.
Esa mujer cose muy bien, es una buena **costurera.**
Ese **tabernero** tiene unos vinos excelentes.
La **pastora** saca las ovejas al campo.
Tienen que ir a casa de la **lechera** a por más leche.

ACTIVIDADES DE GRAMÁTICA

1.

Indicativo	**Subjuntivo**	**Imperativo**
Yo tengo	Yo tenga	Ten (tú)
Tú tienes	Tú tengas	Tened (vos)
Vos tenéis	Vos tengáis	Tenga (usted)
Usted tiene	Usted tenga	
Él tiene	Él tenga	

2.

Posibles respuestas
a) ¿**Acaso** lloras?
b) **Posiblemente** sea como tú dices. Topdo puede ser.
c) ¿Irás al cine con ellos? No sé, **quizás.**
d) El asesino escapó **probablemente** por la ventana.

3.

a) Frondoso es bravo como un **toro.**
b) El Comendador es fiero como el **león.**
c) Los hombres del pueblo han sido cobardes como **gallinas.**
d) La ropa de Laurencia es blanca como la **nieve.**
e) Aquella moza tenía el pelo negro como **carbón.**

4.

a) El comendador no es malo, es **malísimo.**
b) Frondoso es buen mozo, es el **mejor.**
c) Laurencia es una mujer sensata y *buena,* es **buenísima.**
d) Los Reyes Católicos tienen un poder *grande,* el **mayor.**
e) Mengo es un chico muy fuerte, es **fortísimo.**

5.

Laurencia le dijo a Pascuala que aunque era joven no era tonta y que le conocía bien, sus embustes, sus engaños... y que su único interés era acostarse con gusto y amanecer con enfado.

Pascuala le contestó que así eran los hombres. Añadió que siempre que las necesitaban eran para ellos su ser y su vida, su alma y su corazón; pero que pasado el fuego se terminaba su pasión.

Español	Inglés	Francés	Alemán	Italiano	Portugués (brasileñ
aborrecer	to loath, to detest	abhorrer, détester	verabscheuen	aborrire, detestare	aborrecer
acosar	to hound	traquer	verfolgen	incalzare	acossar
adular	to flatter, to fawn	flatter	schmeicheln	adulare, lusingare	adular
agravio	affront, insult	offense	Beleidung	offesa	agravo
agudo	sharp, shrewd	fin	scharfsinnig	arguto, acuto	arguto, agudo
alabar	to praise	louer	loben	lodare	alabar
alboroto	disturbance, din	vacarme, cohue	Krach, Krawall	chiasso	alvoroto
aliñar	to dress, to season	assaisonner	anmachen	condire	temperar
almena	merlon	créneau	Zinne	merlo	ameia
apenarse (de)	to be saddened (by),	s'affliger (de)	sich grämen (über)	affliggersi (di)	entristecer-se (de)
aprieto	predicament	embarras	Zwangslage	guaio	apuro, enrascada
apuesta	bet	pari	Wette	scommessa	aposta
arrasar	to destroy	ravager	verheeren	radere al suolo	arrasar
atroz	appalling, awful	atroce	schrecklich	atroce	atroz
azotar	to flog	fouetter	peitschen	frustare	açoitar
bizco	cross-eyed	louche	schielend	guercio, bircio	vesgo
bravo	brave	brave	tapfer, mutig	bravo	bravo
bronce	bronze	bronze	Bronze	bronzo	bronze
carro	cart, wagon	charrette, chariot	Wagen	carro	carro
castidad	chastity	chasteté	Keuschheit	castità	castidade
casto	chaste	chaste	keusch	casto	casto
ceñir	to gird	ceindre	anlegen	cingere	cingir
clemencia	mercy, clemency	clémence	Milde	clemenza	clemência
consuelo	consolation	consolation	Trost	consolazione	consolo
contenerse (de)	to contain oneself	se contenir (de)	sich beherrschen	trattenersi (di)	conter-se (de)
cordel	cord, string	ficelle	Kordel, Schnur	spago	cordel
corzo	roe deer	chevreuil	Rehbock	capriolo	corço
cuesta	slope	côte, pente	Abhang	salita	costa
delito	offense, crime	délit	Straftat, Delikt	reatto, delitto	delito
descuidarse	not to be careful	ne pas faire attention	nicht aufpassen	trascurarsi	descuidar-se
dicha	happiness	bonheur	Glück	felicità	felicidade
discordia	discord	discorde	Zwietracht	discordia	discórdia
discreto	discreet	discret	umsichtig	discreto	discreto
elocuente	eloquent	éloquent	beredt	eloquente	eloquente
encina	holm oak, ilex	chêne	Steineiche	quercia	carvalho
enojar	to anger, to annoy	irriter, fâcher	ärgern	stizzire, arrabbiare	enojar
entrometido	busibody, meddler	indiscret	zudringlicher	impiccione	intrometido
estimar	to respect	estimer	schätzen	stimare	estimar
espanto	fright, horror	épouvante, effroi	Schrecken	spavento	espanto
feroz	fierce, ferocious	féroce	wild	feroce	feroz
fraile	friar	religieux, moine	Mönch	frate	frade
furia	fury	fureur	Wut	furia	fúria
galgo	greyhound	lévrier	Windhund	levriere	galgo
ganso	goose	oie	Gans	oca	ganso

Español	Inglés	Francés	Alemán	Italiano	Portugués (brasileño)
garra	paw, clutch(es)	griffe	Klaue	artiglio	garra
gorrión	sparrow	moineau	Sperling	passero	gorrião, pardal
gozar	to enjoy	jouir	genießen	godere	gozar
honrar	to honor	honorer	ehren	onorare	honrar
humillar	to humiliate	humilier	demütigen	umiliare	humilhar
infamia	infamy	infamie	Gemeinheit	infamia	infâmia
labrar	to plough	labourer	pflügen	arare, coltivare	lavrar
licenciado	graduate	licencié	Absolvent	laureato	licenciado
liebre	hare	liévre	Hase	lepre	lebre
ligereza	swiftness	légèreté	Schnelligkeit	leggerezza	ligeireza
limosna	alm	aumône	Almosen	elemosina	esmola
manteca	butter	beurre	Butter	burro	manteiga
martirizar	to torment	martyriser	martern	martoriare	martirizar
menosprecio	contempt, scorn	mépris	Verachtung	spregio	menosprezo
mensajero	messenger	messager	Bote	messaggero	mensageiro
murmurar	to gossip	murmurer	herziehen	mormorare	murmurar
necio (tonto)	fool	sot, idiot	Dummkopf	sciocco	néscio
opresor	oppressor	oppresseur	Unterdrücker	oppressore	opressor
patrimonio	patrimony, estate	patrimoine	Vermögen, Erbe	patrimonio	património
perla	pearl	perle	Perle	perla	pérola
pesaroso	sorrowful, sad	affligé, triste	traurig	accorato	pesaroso
prevención	prevention	prévention	Vorkehrung	prevenzione	prevenção
remediar	to remedy	remédier	beheben	rimediare	remediar
rendirse	to surrender	se rendre	kapitulieren	arrendersi	render-se
resentido	resentful	rancunier	nachtragend	risentito	ressentido
reventar	to burst	éclater, crever	platzen	scoppiare	rebentar
roble	oak	chêne	Eiche	rovere	roble
seglar	layman	laïc	Laie	laico	leigo
sentencia	sentence	sentence, arrêt	Urteil	sentenza	sentença
sinrazón	injustice, wrong	injustice, tort	Unrecht	torto	sem-razão
soberbio	proud, haughty	orgueilleux	hochmütig	orgoglioso	soberbo
socarrón	sly	sournois	durchtrieben	furbo	velhaco, astuto
sospechar	to suspect	soupçonner	vermuten, ahnen	sospettare	suspeitar
sucesión	succession	succession	Thronfolge	successione	sucessão
tigre	tiger	tigre	Tiger	tigre	tigre
tirano	tyrant	tyran	Tyrann	tiranno	tirano
tormento	torture	torture, supplice	Folter	tormento	tormento
tortura	torture	torture	Folter	tortura	tortura
traidor	traitor	traître	Verräter	traditore	traidor
tuerto	one-eyed	borgne	Einäugiger	losco	zarolho, lusco
vasallo	vassal	vassal	Vasall	suddito	vassalo
vasija	pot	pot	Gefäß	vaso	vasilha
venganza	revenge	vengeance	Rache	vendetta	vingança
viña	vineyard	vignoble	Weinberg	vigneto	vinhedo